Europa

Asia

OCÉANO
PACÍFICO

África

OCÉANO
ÍNDICO

Oceanía

Para mis pequeños lectores:
¡disfrutad de vuestra vuelta al mundo!
O. L.

La vuelta al mundo de **Lupo**

Texto de Orianne Lallemand
Ilustraciones de Éléonore Thuillier

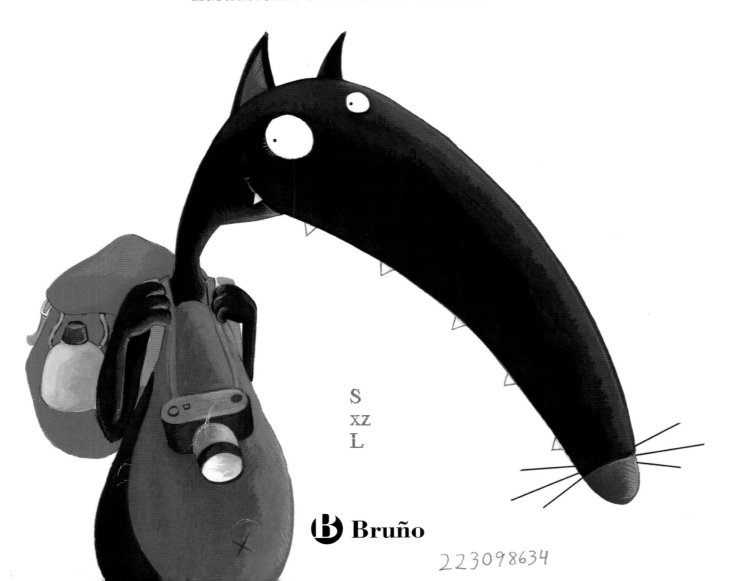

S
XZ
L

B Bruño

Lupo se aburría mucho en el bosque. Hacía frío y se había cansado de hacer muñecos de nieve tooodo el día.

Una mañana, se miró al espejo y exclamó:

—¡Ya sé qué voy a hacer! ¡Me voy de viaje! Siempre he soñado con dar la vuelta al mundo.

Preparó su equipaje,
y se fue de viaje.

Cuando llegó a **París,** Lupo navegó por el río Sena
y descubrió la Torre Eiffel.

—¡Qué grande y qué bonita es!
—exclamó maravillado.

—Si subes hasta arriba del todo,
verás el mundo entero —le aseguró
una paloma.

Lupo subió al último piso
para ver su bosque. Pero desde allí
solo vio tejados y más tejados...
¡y a unas palomas que se reían de él!

La Paloma Mensajera

4

Menú del día:

– Ancas de rana asadas

– Natillas

¡Hola, amigos!

París es una ciudad preciosa.
Aquí hay dos tipos de personas:
las que tienen mucha prisa
y las que están sentadas
en las terrazas de los cafés.
¡Os echo de menos!

Lupo

A mis amigos
del Bosque Lejano

Cuando llegó a **Londres**, Lupo fue al palacio
de Buckingham.

—Quisiera ver a la reina de Inglaterra, por favor
—pidió a un guardia que estaba en la entrada.

El guardia no se movió,
pero Lupo quiso pasar
de todos modos.

—¡Al lobo! ¡La reina está
en peligro! —gritó el guardia.

El pobre Lupo fue detenido y encerrado en una habitación muy oscura.

Pero, por suerte, la reina lo había visto todo desde su balcón y ordenó que lo dejaran en libertad.

—¿Le apetece un té, señor Lupo? —le preguntó.

9

Cuando llegó a **Italia**, Lupo no paró de comer pasta, pizza y helado: para desayunar, para comer y para cenar. ¡Todo estaba riquísimo!

RÓMULO Y REMO

En **Roma**, visitó un montón de museos.

Y recorrió **Venecia** en góndola.
Era una ciudad preciosa,
pero echaba muuuucho de menos
a Lupita, su novia...

Mi querida Lupita:

Estoy en **Venecia**,
la ciudad de los enamorados.
Te echo mucho de menos.
¿Quieres casarte conmigo?

Tu Lupo

Cuando llegó a **Egipto**, Lupo descubrió la esfinge y la gran pirámide.

—¿Quieres que te lleve hasta el río Nilo? —le propuso un dromedario.

Cuando llegaron, Lupo se refrescó las patas en el agua.

—¡Socorro! ¡Un cocodrilo! —chilló, mientras escapaba por los pelos de sus afilados dientes.

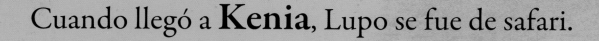

Cuando llegó a **Kenia**, Lupo se fue de safari.

Al ver a los animales reunidos junto a una charca,
Lupo se bajó del todoterreno.

—¡Hola! —les saludó.

—¿Qué animal es ese? —preguntó la cebra.

—Ni idea —respondió el hipopótamo.

—Parece una hiena —siguió el león.

—¡Pues no! Soy un LOBO.

—¡Un lobo! ¡AAAAAAAH!
¡Sálvese quien pueda!

Todos los animales salieron corriendo
y dejaron al pobre Lupo triste y solo.

Pero cuando llegó a la isla de **Madagascar**, Lupo vio baobabs que tocaban las nubes y flores que olían genial. Además, ¡el fondo del mar era increíble! Lupo estaba buceando entre miles de peces multicolores, cuando de pronto... ¡un tiburón ballena apareció junto a él!

—¡Socorroooo! —gritó.

Un lémur había visto la escena desde la playa.

—No te asustes, narizotas —se burló—.
Ese tiburón no come lobos.

En **Nepal**, Lupo escaló el Everest, la montaña más alta
del mundo. Cuando llegó a la cima, se sentó a descansar.

—Bienvenido a mi casa, lobo —le dijo, de pronto, la hija del Yeti—.
Podría comerte, pero eres tan guapo… ¡que prefiero casarme contigo!

—¡Ni hablar! —exclamó Lupo. Y salió disparado.

Bajó a todo correr la montaña y atravesó el valle hasta el final del país.

Sin aliento, Lupo se paró al pie de la muralla de **China**.

—¿Qué ocurre, noble extranjero? —le preguntó un oso panda—.
Parece que tienes mucha prisa.

—¡Me persigue una enorme yeti!

—¿Quieres probar mi comida —le ofreció
el oso. Y le tendió su cuenco de arroz.

Lupo estaba hambriento, así que lo aceptó encantado.

Cuando llegó a **Australia**, Lupo se sintió muy feliz.
¡Por fin podría hacer surf!

Pero no era tan divertido como se había imaginado...

—¡Socorroooo! ¡Me ahogo!

Menos mal que un canguro
lo pudo rescatar.

POST CARD

Hola, Alfredo:

Hoy he hecho surf
por primera vez.
¡Mola mucho volar
sobre las olas!
Aunque es más difícil
de lo que parece...

Tu amigo surfista,

Lupo

Alfredo

En el Bosque Lejano

2.ª casa a la izquierda

del nido de la urraca

Lupo llegó a **Río de Janeiro** en pleno carnaval.
Se compró un disfraz y salió a conocer la ciudad.

Allí hizo muchos amigos
y bailó durante varios días
y varias noches. Cuando la fiesta terminó, se sintió un poco triste...
¡Se había divertido tanto!

En **Nueva York**, Lupo admiró la Estatua de la Libertad, paseó a los pies de los altos rascacielos y se fue de compras.

WALL ST.

BROADWAY

5 AV

De repente apareció la hija del Yeti
y Lupo salió disparado.

Lupo atravesó llanuras, desiertos y bosques huyendo. Al borde de sus fuerzas, se detuvo delante de una casita y entró para esconderse. **?**

MFR1402

—¡Bienvenido a **Quebec**! —le saludó un caribú.

Lupo se quedó dormido enseguida. Cuando se despertó, exclamó:

—¡Ya estoy harto de viajar! Me vuelvo a mi bosque.

Cuando llegó a su casa, Lupo soltó
un hondo suspiro de felicidad.

—¡Qué a gustito se está en casa!

Enseguida invitó a todos sus amigos
y a su novia Lupita a cenar pizza.

Hasta la yeti, que llegó por sorpresa,
se unió a la fiesta... ¡y lo pasó genial!

Título original: *Le loup qui voulait faire le tour du monde*
© 2013 Editions Auzou, París (Francia)
Texto: Orianne Lallemand
Ilustraciones: Éléonore Thuillier

© 2015 Grupo Editorial Bruño, S. L.
Juan Ignacio Luca de Tena, 15
28027 Madrid
www.brunolibros.es

Traducción: Marga G. Borràs

ISBN: 978-84-696-0209-6
Depósito legal: M-32800-2014

 **Bruño** C E